ᑎᕆᒐᓂᐊᖅ
TIRIGANIAQ
THE FOX

ᑎᕆᒐᓂᐊᖅ
ᐃᒃᓯᕚᖅᑐᖅ.

Tiriganiaq
iksivaaqtuq.

The fox is sitting.

ᑎᕆᒐᓂᐊᖅ
ᐸᖓᓕᒃᑐᖅ.

Tiriganiaq
pangaliktuq.

The fox is running.

ᑎᕆᒐᓂᐊᖅ
ᒥᓯᒃᑕᖅᑐᖅ.

Tiriganiaq
misiktaqtuq.

The fox is jumping.

ᑎᕆᒐᓂᐊᖅ ᓂᕆᔪᖅ.

Tiriganiaq nirijuq.

The fox is eating.

ᑎᕆᒐᓂᐊᖅ ᐊᒡᒐᒃᑐᖅ.

Tiriganiaq aggaktuq.

The fox is digging.

ᑎᕆᒐᓂᐊᖅ
ᐊᖁᐱᔪᖅ.

Tiriganiaq
aqupijuq.

The fox is resting.

ᑎᕆᒐᓂᐊᖅ ᓯᓂᒃᑐᖅ.

Tiriganiaq siniktuq.

The fox is sleeping.

Nunavummi